Les Contes du sable et du vent

Corinne CHEVALLIER

Le lutin curieux qui voulait aller dans la lune

Illustrations de
Hocine Mechemache

Villa n°6, Saîd hamdine, Hydra, 16012, Alger

ISBN : 978 - 9961 - 64 - 845 - 2
Dépôt légal : 2258 - 2009

Il était une fois un lutin curieux qui mourait d'envie d'aller dans la lune. Quand il faisait beau et que la nuit était claire, il passait ses soirées à la regarder, du haut du grand arbre où il avait bâti sa maison.

C'était, en vérité, une drôle de maison. Il avait installé, entre deux branches, un nid d'oiseau abandonné, un joli nid fait de brindilles entrelacées comme une dentelle et chaudement rembourré de duvet gris et blanc, et il l'avait couvert d'une large feuille brillante qui lui servait de toit. La nuit, blotti dans son nid, il regardait la lune. Il rêvait d'aller y faire un tour. Il restait parfois si longtemps à la contempler qu'il finissait par croire qu'elle clignait des yeux et lui chuchotait doucement :

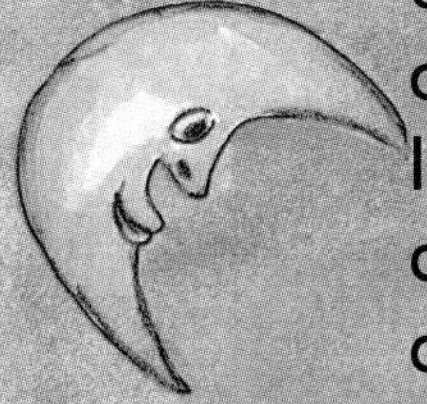

«Viens me rendre visite ! Tu verras comme je suis belle...»

Mais quelquefois, elle n'apparaissait pas ou elle se cachait derrière les nuages et le lutin se sentait tout triste... Il faisait alors sonner trois fois la clochette de son bonnet et il pensait à autre chose !

Ce lutin avait une autre particularité : il était terriblement curieux. Il avait la mauvaise habitude de fourrer son nez partout, surtout dans ce qui ne le regardait pas. Les habitants de la forêt n'aimaient pas le voir tourner autour de leur demeure ! Il avait pourtant l'air bien gentil, avec ses grands yeux bleus et son étrange costume vert et jaune qui le faisait ressembler à une sauterelle... Mais il avait déjà fait tellement de bêtises que tout le monde se méfiait de lui !

Cela lui était tout à fait égal, et il continuait à jacasser comme une pie et à se mêler des affaires des uns et des autres, car il était aussi très gai et très bavard.

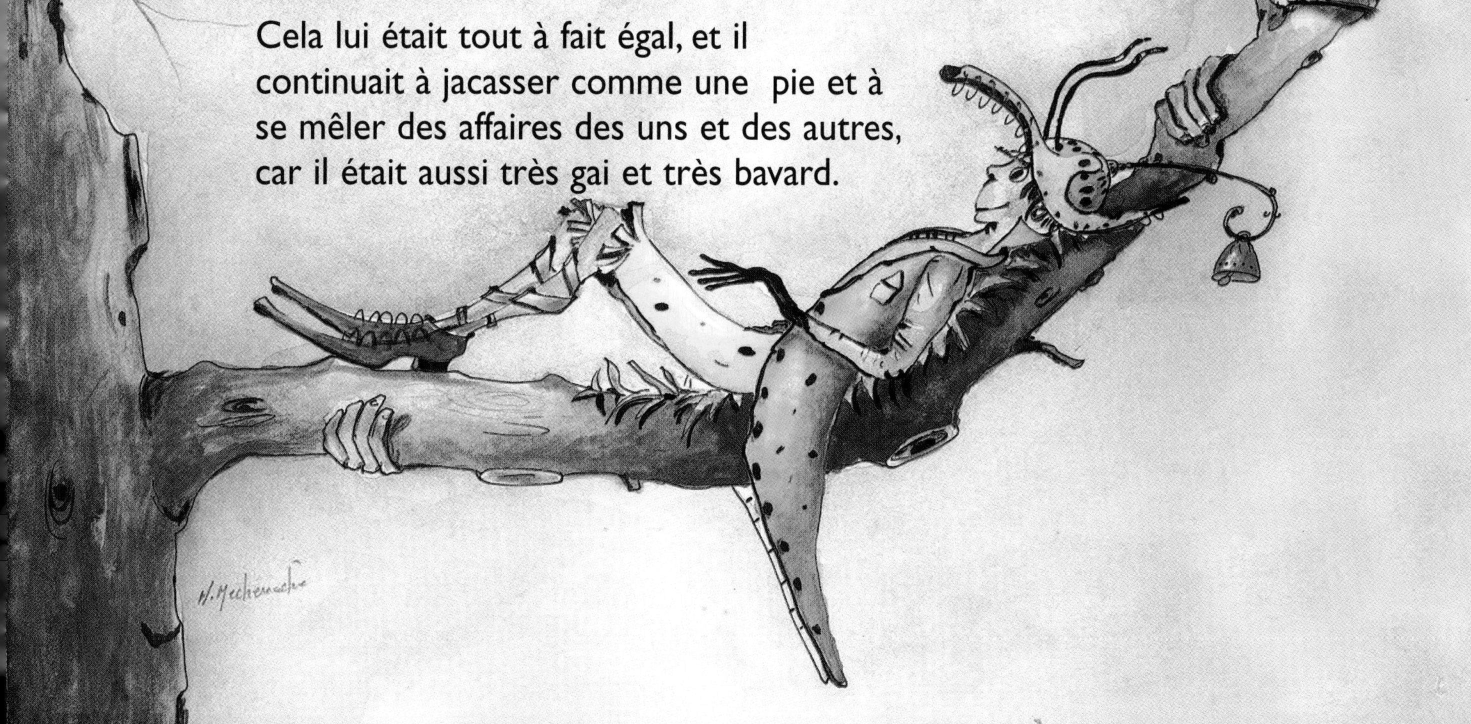

Un matin, il dégringola très tôt de son nid pour aller gambader dans la forêt et boire la rosée sur les fleurs, avant le lever du soleil. Il faisait tout juste clair, les oiseaux commençaient à peine à bouger dans les branches. Il se faufila joyeusement à travers les buissons et courut vers le sentier... Une vieille dame, enveloppée de longs voiles noirs qui traînaient sur le sol, était assise au pied d'un arbre. La tête penchée sur sa poitrine, elle paraissait dormir.

« Par la clochette de mon bonnet ! se dit le lutin curieux, je croyais connaître tous les habitants de la forêt, et je n'ai jamais vu cette femme !

Il s'avança sur la pointe des pieds mais en l'entendant la vieille dame ouvrit les yeux.

- Approche-toi, Flèche d'Or, dit-elle sans bouger.

- Qui êtes-vous ? dit le lutin. Vous savez comment je m'appelle, pourtant je ne vous ai jamais rencontrée.

La vieille dame releva péniblement la tête.

- Tu me connais ! chuchota-t-elle. Je suis la Nuit. Je descends sur Terre tous les soirs, quand le soleil se couche. Chaque matin quand le jour se lève, je disparaît...

On entendit un oiseau chanter. Le ciel s'éclaircissait et la dame devenait à chaque instant plus faible.

- Madame la Nuit, dit très vite le lutin, j'aimerais tellement visiter la Lune ! Je vous en prie, dites-moi comment y aller.

La vieille dame eut un pâle sourire. Ses yeux semblaient deux étoiles sur le point de s'éteindre.

- Va ce soir dans la Clairière des Fées... murmura-t-elle si bas que le lutin se demanda s'il avait bien entendu, attrape le rayon et grimpe... Jusqu'au bout ... »

A ce moment, le soleil éclata comme un feu d'artifice dans le ciel et la vieille dame disparut...

Cinq minutes plus tard, Flèche d'Or l'avait oubliée et, grimpé sur un pied de violettes sauvages, il buvait avec délices les gouttes de rosée qui brillaient entre les pétales.

Après quoi, il alla rendre visite au Hérisson et à la Coccinelle qui vivaient ensemble dans le creux d'un vieil arbre. Ils étaient aussi gais et insouciants que lui et toute la journée il gambada avec eux dans les herbes folles. Ce n'est que lorsque l'ombre de la nuit commença à s'étendre sur la forêt qu'il se souvint de sa rencontre. Alors, il courut d'un trait vers la Clairière des Fées...

Un rayon de lune, mince et brillant comme un fil de soie, se balançait au milieu de la clairière... Sans hésiter, Flèche d'Or le saisit à pleines mains et, comme un acrobate le long d'une corde, il se mit à grimper...

Il grimpait ...et, sous lui, il apercevait la forêt, aussi verte qu'un tapis de mousse, le ruban gris de la route, le ruban d'argent de la rivière. Et les carrés multicolores des vergers, les carrés jaunes des champs de blé...

Il grimpait... Il s'enfonçait dans des nuages doux et cotonneux, et il grimpait encore... encore...

Il traversa un champ d'étoiles. Elles scintillaient dans le ciel noir et chuchotaient entre elles:

« Voyez ! C'est Flèche d'Or qui vient nous rendre visite ! »

Il ôta son bonnet pour les saluer. Elles devinrent roses de plaisir et chuchotèrent encore plus fort...

Il grimpait toujours plus haut... Autour de lui, des planètes tourbillonnaient comme des billes. Une comète le frôla en laissant derrière elle une traînée de lumière...

Enfin, comme s'il n'allait pas plus loin, le rayon glissa de ses doigts et Flèche d'Or sauta d'un bond. Il était arrivé sur la Lune...

Autour de lui, il ne voyait ni arbres, ni maisons. Le sol était plein de creux et de bosses, un nuage de poussière grise flottait dans l'air glacé, et un profond silence régnait sur ce triste paysage...

« Par la clochette de mon bonnet, la Lune n'est pas aussi belle que je le croyais! pensa le lutin curieux.

Un peu déçu, il fit quelques pas et aperçut, au fond d'une crevasse, une petite porte qui brillait comme du cristal. Dès qu'il s'en approcha, la porte s'ouvrit et un lutin, tout habillé d'argent, parut sur le seuil.

- Bienvenue chez les habitants de la Lune! dit-il. Et il fit une grande courbette, comme si Flèche d'Or était un roi ou un ambassadeur.

Pour lui rendre la politesse, Flèche d'Or fit tinter trois fois la clochette de son bonnet et, avec une autre courbette, le lutin l'invita à entrer.

Ils traversèrent un couloir éclairé par des milliers de fils brillants qui pendaient du plafond et pénétrèrent dans une grande salle. Flèche d'Or, qui s'attendait à voir des merveilles, était de plus en plus surpris. Il n'y avait là ni meubles, ni tapis, rien que des étagères sur lesquelles étaient rangées une multitude de boîtes de toutes les couleurs...

- C'est très joli, dit-il poliment. Mais où sont les habitants de la Lune ?

- Ils sont dans ces boîtes ! dit Lutin d'Argent. Ce sont leurs appartements. Ici, nous n'avons pas de maisons comme vous et dehors que pourraient-ils faire ? Il n'y a que de la poussière et des cailloux... Aussi dès qu'ils ont fini leur travail, ils rentrent là, se mettre à l'abri. Moi, je suis chargé de remettre soigneusement chaque boîte à sa place pour pouvoir les retrouver au moment voulu.

- Il y en a beaucoup ! Tu ne te trompes jamais ? dit Flèche d'Or stupéfait.

- Jamais ! D'ailleurs je les connais tous, car, Dieu merci, nous avons moins d'habitants que sur la Terre ! Tu vois, ici, c'est l'Allumeur-de -Rayons- de-Lune. Il est chargé de les distribuer dans les maisons où dorment les enfants sages et dans les forêts où vivent les oiseaux.

Ici, c'est l'Essuyeuse-d'étoiles qui époussète et lave les astres ternis. Là, c'est le Batteur- de- Nuages qui fait tomber la pluie, et là, c'est le Marchand -de-Sable qui endort les petits enfants... Plusieurs boîtes sont vides car leurs locataires travaillent en ce moment. Dès qu'ils rentreront, je les rangerai vite pour ne pas m'y perdre.

-Par la clochette de mon bonnet, dit Flèche d'Or, je vois là de drôles de choses !...Qu'y a-t-il dans les autres pièces ?

La deuxième salle était un peu plus grande et également meublée d'étagères et de boîtes.

- Ici, nous conservons les Rêves, dit Lutin d'Argent. Tous les hommes de la terre possèdent une boîte dans laquelle sont rangés tous les rêves qu'ils font tout au long de leur vie. C'est le Distributeur-de-Songes qui les fait parvenir à destination. Il est en ce moment en tournée, mais tu le verras peut-être avant de t'en aller.

Flèche d'Or ne rêvait jamais, aussi il ne s'attarda pas et passa dans une autre salle.

Elle était aussi remplie de boîtes . Seul leur contenu changeait. Il y avait les Bontés, les Inventions, les Caprices, les Idées...

Flèche d'Or fut très attiré par celles des Idées.

- Est-ce que j'en ai une, moi aussi ? demanda-t-il.

- Bien sûr ! dit Lutin d'Argent.

Il chercha sur les étagères et lui montra une petite boîte, mi-partie jaune, mi-partie verte.

- La voici ! Elle contient trois idées que tu auras demain...

- Donnez-la moi, supplia Flèche d'Or. J'en prendrai grand soin !

- Je veux bien, dit Lutin d'Argent, mais promets-moi de ne pas l'ouvrir. Ce sont trois bonnes idées. Elles doivent sortir au bon moment, sinon elles pourraient devenir mauvaises...

Il donna la boîte à Flèche d'Or qui la serra sur son cœur et continua sa visite. Il y avait encore beaucoup de choses à voir mais il ne pensait qu'à sa boîte. Il mourait d'envie de savoir ce qu'elle contenait et la remuait en tous sens. Mais rien ne bougeait...

Après qu'il ait fait le tour de tout ce qu'on pouvait lui montrer, Lutin d'Argent le raccompagna jusqu'à l'endroit où il avait débarqué. Pour le remercier de son amabilité, Flèche d'Or fit tinter trois fois la clochette de son bonnet, puis il se mit à califourchon sur son rayon de lune et glissa d'un seul coup jusqu'à terre.

Le lendemain, en se réveillant, il pensa que pour une fois il avait rêvé. Mais la petite boîte jaune et verte était bien là, dans son nid sous les branches et, comme il avait terriblement envie de l'ouvrir, il descendit vite de son arbre et alla faire quelques galipettes dans l'herbe pour essayer de l'oublier.

Cependant, il ne cessait d'y penser...

« Si je l'ouvrais un tout petit peu... juste pour voir quelles idées j'aurai aujourd'hui. Je refermerai tout de suite... Quel mal peut-il y avoir à ça ?... »

Plus il y pensait, plus il avait envie de le faire, si bien qu'à la fin il ne résista plus. Il retourna chez lui, prit la boîte et souleva légèrement le couvercle. Mais avant qu'il ait eu le temps de le refermer, un nuage rose sortit de la boîte, s'étira dans l'air et disparut en laissant derrière lui comme une odeur de jasmin. En même temps, le lutin curieux sentit une idée lui venir en tête.

- Tiens, pensa-t-il, si j'allais voir la Libellule ? C'est une bonne idée... Nous ferions un brin de causette ! Quel mal peut-il y avoir à ça ?...

La Libellule vivait près de la Source aux glands, à la lisière de la forêt. Quand Flèche d'Or arriva, elle était perchée sur une feuille de chêne et faisait sa toilette en se mirant dans l'eau. C'était une gentille fille et elle aimait bien le lutin mais ce matin-là , elle ne répondait pas à ses questions et ne riait pas de ses plaisanteries. Un peu étonné, il finit par lui demander ce qu'elle avait.

- Hélas ! dit-elle. Mon ami le Papillon avait promis de venir me chercher pour m'emmener au bal. Il a dû t'apercevoir de loin et il est si timide qu'il n'a pas osé s'approcher ! Voilà une heure que tu es là à me débiter des sornettes...Va-t-en maintenant avant que je ne me fâche tout à fait !... Elle avait l'air vraiment en colère et Flèche d'Or préféra s'en aller.

- Par la clochette de mon bonnet, pensait-il en revenant chez lui, le Lutin de la Lune avait raison !.. Cette idée n'était pas très bonne. J'aurais dû attendre un peu....

Comme il n'était jamais longtemps d'humeur sombre, il oublia vite la Libellule et, toute la matinée, il s'amusa à sauter et à courir dans la forêt.

Mais il pensait toujours à la Boîte à Idées...

-Je vais encore essayer. Juste pour voir! se dit-il enfin. Cette fois, je serai plus prudent. Je l'ouvrirai un peu... un tout petit peu...

Il remonta aussitôt dans son arbre, prit la boîte et souleva un bord du couvercle. Un tout petit bord... Mais il ne put empêcher un nuage bleu de s'évader et de disparaître en laissant derrière lui un parfum de lilas...

-Comme c'est drôle ! pensa le lutin curieux. J'ai tout d'un coup envie d'aller cueillir des fraises... C'est une bonne idée ! Quel mal peut-il y avoir à ça ?...

Les fraises poussaient en abondance dans un chemin creux, au plus profond du bois. Il faisait très chaud et, après en avoir cueilli une grosse poignée, le lutin s'assit à l'ombre pour les manger. Mais il avait à peine commencé qu'il entendit un glissement dans les feuilles et Chut, la vipère se dressa devant lui en le regardant d'un air menaçant.

- Que viens-tu faire chez moi, lutin curieux ? siffla-t-elle. Donne-moi vite ces fraises et déguerpis avant que je te morde !...

Flèche d'or ne se le fit pas dire deux fois. Il jeta précipitamment ses fraises à la tête du serpent, et s'enfuit à toutes jambes.

- Par la clochette de mon bonnet, pensait-il en courant, le Lutin de la Lune avait raison... Mon idée n'était pas fameuse. J'aurai mieux fait d'attendre un peu...

Il rentra chez lui et s'assit sur la boîte, bien décidé à ne plus l'ouvrir. Mais plus le temps passait plus sa curiosité augmentait et, une fois encore, il ne put s'empêcher de soulever le couvercle.

L'Idée s'échappa sous la forme d'un nuage jaune qui sentait bon le thym sauvage. Et dès qu'elle s'échappa, le lutin curieux pensa à un couple de Moineaux qui vivaient dans un chêne voisin.

- Cette fois, se dit-il, je suis sûr que c'est une bonne idée ! Je vais aller leur rendre visite. Quel mal peut-il y avoir à ça !...

Il y avait longtemps qu'il n'avait pas été chez eux et il ne se rappelait plus très bien dans quel arbre ils avaient fait leur nid. Il lui sembla que c'était dans l'un des chênes les plus touffus de la forêt. Si ses souvenirs étaient bons, la famille Moineau habitait dans le creux de la septième branche, à droite, juste au-dessus du sentier...

Se fiant à sa mémoire, il grimpa lestement et s'installa au bord d'un nid dans lequel se trouvaient quatre oeufs blancs et roses. Mais un tourbillon de plumes et un concert de pépiements le fit déloger en vitesse. Horreur ! Il s'était trompé d'arbre et deux pigeons furieux tournaient autour de lui en le piquant de leur bec, comme s'il avait voulu dérober leur couvée...

- Par la clochette de mon bonnet, pensa Flèche d'Or en dégringolant aussi vite qu'il put, le Lutin de la Lune me l'avait bien dit ! Je n'aurais pas dû ouvrir cette boîte. Toutes mes bonnes idées sont devenues mauvaises...

Le soleil avait disparu quand il reprit le chemin du logis. En passant près de l'arbre où il avait rencontré la vieille dame, il entendit un rire moqueur. La Nuit, à présent tout à fait réveillée, se tenait debout, au bord du sentier. Drapée dans ses longs voiles qui flottaient gaiement autour d'elle, elle n'avait plus du tout l'air vieille.

- Tu ne sembles pas très content, lutin curieux, ricana-t-elle. Aurais-tu des ennuis ?»

Très impoliment, Flèche d'Or lui tira la langue...

Il ne fut pas, pour autant, guéri de sa curiosité mais depuis ce jour-là il n'eut plus envie d'aller dans la lune.

Parfois, la nuit, il se réveille, il la regarde briller dans le ciel noir mais il se rendort bien vite en pensant au Lutin d'Argent et à la chanson des étoiles...